KB195982

아침달 시집

모든 나는 사랑받는다

박규현

시인의 말

숲의 한가운데서 장작을 모아 불을 피우면
잘못하는 중인 것처럼

웅크리고 죽은 애벌레 하나 애벌레 둘 애벌레
셋, 넷, 다섯
애벌레들 어차피 내가 더 많은데

배에 힘을 주고 소리 지르는 연습을 했다
아주 커다란 소리를 냈다, 냈지만
아무리 해도 이건 사람의 목소리밖엔 안 되나 봐

다 함께 우는 시간을 가져보자
아무도 듣지 않으니까 우리끼리 듣고 우리끼리
그치자 가끔 형태들이 눈에 띄었고

길이 천천히 새고 있었다

2022년 1월
박규현

차례

1부
아주 평화로웠다는 말은 아니다

2부
먼 길을 오느라 수고 많았습니다

3부
헛스윙, 헛스윙을 해

4부
이게 나의 평화

5부
미래가 생겨날 것 같다

6부
자신 있어?

부록

1부

아주 평화로웠다는 말은 아니다

80571

어디 있어? 찾아다닌다 만질 수 없는 것 희고 투명한 것 눈 깜짝할 사이에 사라지는 것 재빨리 꼬리를 잘라버리는 것

여기서는 닭 우는 소리에 깨어나고 그늘로 들어가면 시원하다 수영장에서 물장구를 치는 우리에게도

내일이 있다 애써도 사라지지 않는다 사람이기 때문에 사람이기를 포기한 자들을 두고 이곳에 와 있다니

죄를 짓는 기분 밥을 지으면서도 이곳의 쌀은 몹시 가늘고 길다고 생각하면서도

도마뱀이다 도마뱀을 보아서 그렇게 외친다 도마뱀이다 너는 도마뱀을 볼 때마다 그 생물을 처음 보듯 신비로워하고

이 나라의 말로 된 이름을 짓고 집이라는 것을 짓고 싶다 너와 도마뱀과 함께 살 수 있다면

벌레를 찍어 누를 때 두 손을 모아 사과할 줄 아는 사람

누군가 아플 때 외국어로 약국을 어떻게 발음하는지 연습하는 사람

어디 있어? 한국에서 연락이 오면 나는 지상낙원이야 마당에는 수영장이 있고 수영장 속에는 깊이 잠수하는 네가 있다

나는 냉장고 문을 열고 찬바람을 쐬면서 모든 것이 괜찮아지고 있다고 젖은 머리카락을 쥐어짜며 걸어 나올 너를 잘 개어서 채소 칸에 넣어두어야겠다고

정면에서 보면 나의 친구가 비뚤어져 보일 수도 있겠으나

도마뱀과 같이 몸을 엎드리고 네가 사라지는 틈을 기다리면서

냉장고 문을 닫고 들어간다

렘뿌양

천국의 문이라고 했다
그 문턱에서 사진을 찍으려고

한 시간을 기다렸다
천국으로 가는 문 같은 것을

기다렸다 다른 사람들은 사진을 찍으며 점프도 하고 연
인과 다정하게 팔을 두르기도 했다 하하하하 웃고 있었다
하하하하

네 가방 안에 물의 형상이 있다
일행이 내 가방 속 페트병을 보고
말했다 저기에 천국의 형상이 있다

손차양을 만든 뒤
나를 다 가렸다고 착각하는 동안에

누군가는 길고양이에게 밥을 주다 사람으로부터 얻어
맞기도 하고 마음에 안 든다는 이유로 머리카락이 잘리기
도 한다 가능한 일이다 누군가에게는

천국의 문은 유의미한가 아니면
희미한가

내 차례가 다가오는 중이다
천국에 가면 아무것도 안 하는 것부터 해야지
해본 적이 없으니까

죽지 않고서
천국에 갈 수 있는 포즈에 대해 고민했고

우리의 뒤로 줄이 이어졌다
끊임없이

살아 있는 행렬이었다

아주 오래

텅 빈 우주
텅 빈 휴게소

다 자라버렸고
다 살아버렸다

그게 꼭 서럽다는 건 아니어서
낮이나 밤이나 죽지 않기로 해

둘에서 하나로
하나에서 영으로

다시 시작하자

화창해서 세차를 한다
휠을 닦다 보니
어디서부터 어디까지
얼마큼 굴렀는지 모르겠고

알 것도 같다

볕이 뜨거워 정수리가
뒤통수가

여러 개면 좋았을걸
배신은 늘 있는 일

여자는 운전을 못해 하나를 알려주면 반도 못해
그런 말을 한 사람은 여자였는데

그런 게 모든 걸 명확히 해주는 건 아니다

햇볕 아래 차를 두어서
시트가 뜨겁다
탈 수가 없다 달릴 수가 없다

사람이 많았다가 사라지는 사이
사람이 사라졌다 많아지는 사이

젊음
언제나 젊음

너의 젊음은 탐이 나

머리맡에서 춤추던 귀신이 말을 걸어 온 날
그를 향해 기도했다

사랑하도록 해볼게요
자라나는 것들을

타이어가 터지고 난 뒤 따라오는 평화처럼

건강한 생활을 위한 좋은 습관

입을 크게 벌리지 말고 말을 많이 하지 말고 질기거나 딱딱한 음식은 피하세요. 노포에 들어가 만둣국을 주문한다. 내 주먹보다 커다랗고 축축한 만두. 한 번에 먹는 방법과 반으로 잘라 먹는 방법 사이에서 머뭇거린다. 자세가 엉망이어서 그렇습니다. 어깨가 자주 아프고 통증이 팔꿈치부터 손목까지 이어지는 것은요. 헬스장을 등록할 때마다 나는 잘못을 뉘우치곤 했다. 숟가락으로 만두를 조금씩 갈라서 먹기 시작한다. 손 하나를 삼킨 것같이. 뜨거워서. 훌쩍인다. 사슴의 뿔과 붕어와 흑염소와 개…… 그들을 마신 적 있다. 튼튼해지려고. 나는 나를 먹어치우게 된다. 아픈 부위만을 골라 먹었더니 그 자리에는 고장 나지 않은 몸이 자라난다. 괴롭다가 새롭다가 해롭다가. 도미노처럼 쏟아지는 햇빛. 햇빛처럼 쏟아지는 도미노. 나는 그 사이에서 넘어지고 무릎부터 확인하는 사람. 거리에서 사라지는 건 어렵지 않다. 육교를 건너거나 지하도를 이용하면 된다. 앓고 있는 곳이 낫기를 바라는 마음이라는 게. 버스가 달려오는데 비둘기는 날아가지 않을 때.

나의 가정용 사람들

그랬다 그게 가장 틀렸다
믿고 있는 미신이 많아서 매일 유서를 써도 모자란다는 것
죽은 이는 계속해서 죽어 있고

담요 밖으로 내어놓은 맨발이 사라질 때
유령의 목을 비튼다
두 손을 모으는 것과 깍지를 끼는 것 중에서
어느 게 더 괜찮아 보일지
무릎을 꿇은 채로

손톱 사이에 끼어 있는 흙 알갱이 가운데
사람의 머리만 조심히 긁어낸다
미안한 기분을 줄이려고
남은 밥을 무덤마다 나눠주자
혀가 갈라진 아홉 번째 아침

금붕어의 눈알을 도려내고 내 눈알을 끼워 넣거나 고기
를 구워 먹고 남은 갈비뼈를 모아 한데 묻어주는 일을 했다
빠져가는 것들을 챙겼다 누나가 되고 이모가 되고 엄마
가 되고 할머니가 되기 위해서

탕, 탕, 탕 손가락이 가지런해지는 소리가 분명했다

따먹히기 싫어요 유령의 얼굴을 보았다 밥하다 죽은 사람이었다 여자였다 사람이었다 혼자였다 유령의 목을 비틀었다

밥솥에선 김이 나고 냄비에선 국이 끓는다

던져질 수 있고 뭉개질 수 있고 짓밟힐 수 있는

나를 예뻐한 사람이 많이 나오는 꿈을 꾼 적 있다

물풀의 팔다리를 갖게 되자

고요했다 아주 평화로웠다는 말은 아니다

배양

너는 그루터기에 앉아 마을을 내려다보다가
이웃 주민에게 부엌칼을 찾아달라고 부탁한다
그는 아무런 사정이 없는 것이 적당하다

어떤 창은 왁왁어둡고 어떤 창은 해밝지
폐허를 선택한 곳만이 불을 끄고 지낼 수 있어서

가구들은 바깥으로 나와 뿔뿔이 제 갈 길을 간다
아무것도 훼손되어 있지 않다

다들 네가 마지막으로 매달렸던 나무에
기도 올리고 있는 것을
세상이 끝을 겨누는 것을
온종일 뙤약볕에 내어둔 식칼을
찾는다면 가장 먼저 무엇부터 베시겠어요?

돌아온 주민이 양손을 펼친다
이제껏 이만큼이에요

도리질을 한다 너는 고개를 내려가는

그의 뒷목을 쳐다본다
오래 쥐고 있어서 상냥해진 것이 있다면

그것을 사랑의 탄생이라 부를 수 있다면
밧줄은 얼마나 너의 목을 가지고 싶었던 건지

너의 칼은 돌아오지 않을 것이다 네가 돌아갈 수 없으
므로
모두들 너를 귀하게 여길 것이다

개가 나의 손을 핥는다 대문 앞에서
아직은 아니라고 말한다
산책의 끝을 정하는 건 그러나
내가 아니라 개이고

사물이 보이는 것보다 가까이에 없습니다

문을 도둑맞았다 태평한 오후였다

해안가로 밀려오는 동물 여러 마리는 거의 죽어 있었고
그중 하나를 데려와 쓰다듬었다
털이 빠지고 앙상해질 때까지
가족이 될 때까지

체하면 손을 따주었다
조금씩 부풀어 오르는 핏방울

그달에도
그달에도
그달에도

떨어졌다
욕실 타일과 타일의 틈으로 피가 번지면 그 위로 물을
끼얹었고

자면서 피 흘리면 안 되었다
꽤 다정하고 정겨운 모양새로

창밖으로 화재가 난 건물이 보여
구경했다 주민들이 옥상으로 대피하고 있었다

구조는 신속하게 진행되었으나
출구가 없다는 이유로 이사할 수는 없었다
보증금도 가구도 문도 없었고

여기가 상자였더라면 오히려 명쾌할 수도 있었을 텐데
공간을 잘 개어서 놔두면 누군가 수거해가는 것을 기대
할 수도

동물은 입을 벌린 채 여기
이 목구멍을 통해 나갈 수 있다며

아내와 어머니가 되어줘
어머니와 아내가 필요해

인간이었다면
신고 전화를 걸었을 것이다

가족이 안 될 때까지

배를 갈랐더니
희고 빛나는 솜만 가득했다

방의 가장자리에서 동물 여러 마리는 아주 죽어 있었고
한가로운 오후의

2부

먼 길을 오느라 수고 많았습니다

클레이

작은 공을 만든다
찰흙으로 된 이것은 지구
아무것도 아닌 지구
세상에 없는 지구

지구는 자란다
말을 배우고 혀를 찰 줄 알게 된다
어떤 순간에 엎드려야 하는지 알게 된다

그런 지구를 구르게 하니 잘 구른다 잘 구른다고 해서
지구가 구르기를 좋아한다는 건 아니다
지구는 자동차극장에서 어떤 영화가 상영되는지 궁금
해하고 증명사진을 찍을 때 어떤 색의 상의를 입어야 좋을
지 고민하곤 한다

자고 일어나면
환기되는 일상과 같이

지구를 쓰다듬었더니
손바닥에는 마른 점토가 묻어나고

함께 구르기로 한다
조금 엉터리가 되더라도
기록되지 않는다 하더라도

성실해지자 어떻게든 이곳에서
인사가 끝나고 나면 아무 사이도 아니게 된다지만
아무것도 아닌 구르기

목적지가 없는데도 지구는 화내지 않는다
그런 점이 약간 사랑스럽다

네게도 마음이란 게 있다면
그건 원형의 것일까
뛰어들까

이 일에 대해 오래 준비해왔다

도쿄, 로쿄

귀신들 가운데 하나를 골라
로쿄, 하고 부른다

말도 못하고 글도 못 쓰는 로쿄
입 안 가득 풀을 물고
몇 개의 손가락만 남아 있는 로쿄와

아라카와선을 탄다
마음 가는 역이 보이면 내린다

말라 죽은 거위의 호수에서 사진을 찍는다 전차의 앞쪽
에 서서 다가오는 철로를 보다가 맨 뒤에 앉아 건물들을
하나씩 심어둔다

다음을 향해 이송되는 자세로

애니메이션의 배경이 된 골목에 서서
건너뛰고 싶어 한다 시간을

건너뛰어

귀신이 된
로쿄는

어떤 이유도 없다고
아무런 의지도 불필요하다고

그게 다 맞다고
로쿄의 머리카락을 끌고 다닌다

로쿄는 땅바닥에서부터
쭉
끌려 나온다

오로지 나만 남아서
로쿄를 끄집어낸다

우리는 비명도 없다
서로 절망도 없다

다만 선량한 표정으로

오래된 신사의 과자점에 간다
맥주 맛 사탕을 핥아 먹으며
불량하다 말한다

로쿄는 즐거워한다
나는 즐거워한다
우리는 아주 즐겁다

밤에는 서로를 껴안고 잠드는 편이
가장 좋은 완성이 될 거라고 여기지만

로쿄는 작고 둥그런 공처럼
여기서 저기로 저기서 여기로 발에 치인다

그것들을 다 저주할 것이다
말하지 않고 생각하지 않는다 로쿄는
그대로 있는 편이 더 낫다

로쿄는 있고

나는 없는데

한참을 웃는다
온종일을 운다

외국어로 된 간판을 읽으면서
외국어로 된 간판을 읽으면서

재설

먼 길을 오느라 수고 많았습니다

너는 현관에 선 채 우산 꼭지로 모이는 물을 보고 있다
내가 부엌에서 미역을 불리고 고구마 줄기를 다듬어도

너는 여전히 서 있다
파리에 갈 수 없어서 서래마을로 나들이 갔던 일 파노
라마 모드로 해 질 녘의 강변을 찍었던 것 기억하니
개수대의 덜 마른 식기들이 서로 부딪힌다

에어컨을 최저 온도로 설정해두면 여기를 추운 나라라
고 생각할 수 있다
이 나간 유리컵을 보고서 이것마저 녹을 수 있다고 여
전히 우리는 함께 칼바람 부는 거리를 뛰며 땀 흘릴 수 있
다고

그러나 너는 알기 싫을 것이다
햇빛은 현관까지 가 닿을 수 없다

국이 끓어간다 냄비 안쪽 가장자리에서 물방울이 생겨

나고 사라지고 생겨나고 사라지고 생겨나는 동안에

　일인용 침대에 비좁게 누워 마음을 가다듬고 곰곰이 너를 안아 보았을 때 네가 엉글거리며 내 머리칼을 쓸어 넘겼을 때

　나는 물었다 플라스틱에게도 영혼이 있다고 믿니 나는 그래 그러면 나에게도 있을 것 같아서 그때 너는 선물받은 사람의 얼굴을 하고 있었는데

　말한 적 없다 너에게 들어오라는 말을 한 적이 없다 나는 다만 끼니를 챙기려고
　행주로 식탁을 닦고 수저를 놓는다 언젠가 나는 너를 맞이하며 어깨를 맞대고 앉아 귤을 까 먹기도 했다 쌓여가는 껍질을 사이에 두고

　이거 꿈이잖아
　너의 두 눈을 보고 말하는 건 늘 처음 있는 일이었다

　네 앞으로 간다 너는 내 앞에 서 있다 이런 경우에는 한

없이 나빠진다 어떠니 넌 여기가 너의 자리인 것 같은데

　　현관의 바닥 타일과 타일 사이에는 먼지만이 쌓여 있다
국이 끓어 넘치는 소리가 타는 냄새가 난다 부엌 쪽으로
고개를 돌린다 너 거기 있느냐고

신의

성의

커다란 포유류처럼 엎드려보자
몸이 하나인데도 침대가 좁게 느껴져

내가 나를 구경해야지 뭉개진 채로
츄라우미 수족관의 고래상어는
세로로 서서 식사를 한다고

사진을 찍고 박수를 치는데
수조 너머에서는 밥을 먹는데

두 발이 축축해져간다
젖은 신발을 신고 걸어 나오면
살아 돌아온 사람이 된 기분

이곳은 대개 안락해 보이고
나는 찔끔찔끔 불행해져 갈 것이다

유리 벽이 깨지고 난 뒤에는

일어나 서서 밥 먹자
장판에 물 고이고 있다

놀이

햇빛이 마루를 걸레질해주었다
잘 닦인 자리에 아랫배를 묻었다

온종일 동물의 숲에 들어가 과일도 따고 빚도 갚고
예를 아니오로
아니오를 예로만 알아듣는 이웃들에게 저주의 편지도
썼다

말 많은 친구가 있어서 기쁘다는 답장을 받은 뒤에는
마을을 지웠다 통째로 없애버렸다
사라지도록 만들었다

다시 새로운 주민을 만나게 되면
선한 진심을 가진 이로서 말을 건네야지

들은 달려도 달려도 마음이 가고
저것들이 되고 이것들이 되고 너희들이 되고 우리들이
되어서
마침내 무엇으로 호명될 수 있을지

앞으로의 불안과 오늘날의 화목을 주고 받는데도
늘 비어 있는 우편함 보다 보면

정리

빈 그릇을 잘 씻기거나 먹이고
나무젓가락으로 하수구의 머리카락을 건져내는 게
죽은 나와 더 가까워졌는데

머리를 북쪽에 두고 누웠다
누군가 와서 한 올씩 다 세어주거나 땋아준다면
머리채를 잡힐 수도 있고
가장자리까지 끌려 다닐 수도 있다

단 한 칸의 방 안에서
덜 망가진 것이

더 망가지게 되기까지의 속도로

어서 말랑해지거라
순한 맛이 되거라
식탁 모서리를 문지른다

어떤 이는 나뭇바닥에 기름을 두른 뒤
마른 걸레로 닦아내다가 불을 질러버렸다는
창문을 깨부수고 그 위를 뛰어다녔다는 이야기

정돈하는 일을 도맡아 하는 사람의 마음 같은 것
알 때도 되지 않았는지

발견

풍선은 다 어디로 가서 죽는지
다큐멘터리를 본다

반드시 터져 땅과 바다로 돌아오게 되어 있습니다 회수
는 불가능해요 피해는 동물들이 그대로 받습니다

동물들은 야위어가고
나는 식빵 테두리를 자른다
쌓여가는 것은 누구의 둘레라고 보면 좋을지

손가락으로 빵 부스러기를 찍어 누른다
개미를 눌러 죽이는 것같이

교육용 비디오에는 가위를 피해
도망 다니는 얼룩이 나오고 있었다

줄곧 휘둘렸다가 휘둘렀다
그래 정말 다행이구나
그렇게 말해주는 사람을 기다린다

계보

다리를 떨기 시작하면 멈추기 싫다
개가 물기를 털어내는 것처럼
타이머가 없는 선풍기는 밤새 돌아갈 것

숨이 막혀버린다는
숨이 먹혀버린다는

설명서를 읽고 말았다
갈비뼈밖엔 안 되는 인간 여자들을 삼 일에 한 번은 패
야 한다고 적혀 있었다
찢을 수 없고 부술 수 없어서 휘파람을 불었다
구렁이가 기어 와 삼켜버리기를

벽지의 벌레 자국을 볼 때
살아 있는 것으로 착각하기도 한다
한 번은 더 벽을 치고 말지

만날 때마다 얼굴이 부어 있는 친구들과 과일 가게에
가면
수박을 고르면서는 두드려보았고 귤을 사기 위해서는
쥐어보기도 했는데

그런 게 손이 하는 일이라고
사랑하는 만큼이라고 했다

홀몸도 아닌데 혼자 다니지 말아야지
노약자석의 임산부 그림에만 엑스표를 그린 이에게
징그러웠느냐고 묻다가
물어뜯어버린다

의심

식당 앞에 이름을 적어놓고 환자 된 기분으로 차례를
기다리는 사람도 있다
한국인이 해주는 일본가정식을 먹으려고
한 끼의 해외란 정말이지 형편없지 않다면서

이동을 한다
악귀가 다니지 않는 날을 골라
집에 왔는데 산 사람은 아무도 없고
내가 나를 깜박하는 일이 잦다

문지방을 밟아 저승에 갔던 때
그렇게 많은 여자들은 처음 보았다
모두 손 없는 날만 기대하는 중이었고
나도 거기서 손톱 끝을 씹고 있었다

그들의 품 안에 있던 알을 빼앗아 깨뜨렸다
이제부터 신의 아들은 아무도 태어나지 않아
야 그건 버려두고 와

회복

끝까지 잠이 오지 않을 때는
순환선을 타고 달리는 상상을 해

내리기 전에 탑승하려는 마음에 대해

예의 없는 부류에게는 신발을 선물할 테니

미역국도 정성껏 끓여줄 테니

지구 바깥으로 미끄러지기를

사용법을 고쳐 쓴다

화장실에 가서 찔려 죽지 않고 몰래 찍히지 않고 욕의

기원이 되지 않고 벗겨지지 않고 착해지지 않고 웃지 않고

밥하지 않고 맞지 않는

아무 때나

앞마당에 사랑하는 사람만 심어두고 볼 수 있게

이후의 나에게

이전의 내가 각주를 붙이다

삭제한다.

성실해보겠습니다

한강변에 앉아 기다린다

박수를 치듯 반짝이는 물결과
서로의 그림자를 밟으며 때로
뛰어넘으며 달려가는 아이들

뒷목에서
머리카락이 엉겨 붙어간다
저 애들도 나도
뜨겁고

날카롭고
물속에서 떠다니던 유리병은
어떻게 날 선 것으로 변해가는 것일까

햇빛 받은 강물이 일렁이는 앞니로 보일 때

멀리서 나를 오래도록 지켜볼 이는 오직 나뿐
그렇게 믿어왔다 내가 얼마나 용감해지고 싶은지
엄지부터 차례로 접어 보이려고

무릎에 올려둔 얼음물이 녹아 생긴 물방울이
정강이를 타고 흘러 내려가는 순간

이 트랙 끝으로 가면 다른 공원이 나온다는 것을
연인들은 그곳으로 향하고 있다는 것을

다음으로 가자
미래를 본 것 같다

대과거와 대관람차와 대낮

다 쓰기 전까지는 집에 못 간다
내가 말하자 너는 쓰기 시작한다

무엇을 써 내려는 걸까 무엇을
곱씹고 있는 걸까
이런 상황은 반복되어왔고

블라인드를 걷어 창문을 여니
닭을 소도매하는 가게 앞
비를 맞으며 문 여는 사람이 보인다

대낮인데 캄캄하네 저 너머
나는 저곳에 들어가본 적 없지만

경험이 많으려면
들어가봐야 하나 그러면

다 썼냐고 물어도 쓰지 못하고 있다
볼펜으로 선을 긋고만 있다

같은 놀이기구를 내리지도 못한 채 타고 있는 기분
줄을 서고 또 서서
에어컨도 없고
비좁기만 한
속도감을

밖을 내려다보면 전경이 보여
신의 높이란 이런 거고
신도 소리를 지를 거고

아무것도 쓰지 못할 것이다
집에 갈 수 없을 것이다

가본 적 없는 장소에 내던져졌다고 생각해
너는 하나도 못 쓰겠다고 어렵다고
나는 그런 네가 난감하고

그냥 써 그냥 써도 되잖아
내 말을 나도 못 알아듣는다

실내에 비가 들이친다
종이가 눅눅해질 때까지는
집에 보내줄 생각 없다

갇혀 있다고 생각하니
네가 다 써버리기를
여전히 기다리고 있다

아주 오래

잠에 들다가 한여름의 평상이다 슬리퍼를 벗었더니 발
등만이 희고
민소매 입은 사람들이 건네는 찐 옥수수를 받는다 알맹
이는 없어
한참 동안 옥수수 심지를 문 채로 깜박 존다 아주 한여
름이었는데

누군가 아주 찌르고 간다 순간 아니면 오래
밤새도록 아랫배를 문질러서 맑은 날 널어두고 싶었다

생리컵에 담긴 피를 처음 버렸을 때
손은 아주 피범벅이 되어 있었다
그런 빨강은 처음이었고 냄새도 안 났고
화장실 바닥에 뿌린 것은 물 아니라 피였고

뭔가를 아주 죽였더라도 모르는 척하자
화장실 문에다가 썼다 누구의 글씨체인지

아주 모르게
아주 모르게

누군가 이어서 써놓은 것을 읽었다
이해해 누구를 찌르더라도
그건 그냥 탐폰이잖아

화장실 한 칸 안에 둘이 들어가 있으면 아주 얌전한 기분
뒤돌아보지마나가지마그러지마하지마
바지를 벗고 속바지를 벗고 팬티를 벗으며
친구는 화장실에서 나오지 않았다

혼자가 되어 변기에 쪼그리고 앉아
임신 테스트기를 골몰하며 쳐다보는
제발 선명하지 않기를 바라는 아주는

어느 먼 친척의 시골집에 놀러 갔는데 아무도 아주 깨
우지 않는 새벽을 생각했다
남자 형제들은 칭얼대며 일어나 절을 하는 동안에

그때 모기장에서 아주 남겨져 모기향이 전부 타들어갈
때까지

혼자 조상에게 빌었지만 그게 그거라고 해서

외양간을 지나면 나오는 작은 샛길을
오래 달리는 상상을 했다 아주 한 명 세 명 열 여덟 명
몇 명인지 까먹기 직전에도
그곳에 있던 소들과 눈을 마주친 적은 없었다

벽장이 방이라면 좋겠다고 말했더니 정말로 그곳이 아
주 방이 되어버렸던 날에는
그곳에서 아주 밥도 먹고 잠도 자고 책도 읽고 일기도
쓰고 못하는 것 없었는데

그 방을 찾아낸 자를 찾아 나서는 패턴
모서리란 모서리를 손가락으로 파내어 보면서 손톱이
자꾸만 부러지면서 뭔가를 겨우 잡아챘을 때 간신히 발목
을 붙잡고서
아버지, 하고 불렀고

일어났더니 한여름의 평상이었다 슬리퍼를 벗었더니
발가락만이 까맣게 그을려 있었다 밀짚모자를 쓴 채 매미

허물을 건네는 사람들이 서 있었다 그늘 져서 보이지 않는
표정으로

　　아주 귀한 것을 받기라도 한 것같이
　　한참이나 손바닥에 올려놓고서 잠이 들었다 순간에

3부

헛스윙,
헛스윙을 해

回

정사각형을 가리키며 방이라고
했다 이런 곳에서 살라는 말을

아무렇지도 않게

나는 흩어져 있다
손으로 침대 밑을 훑으면
계속해서 나오는 실핀처럼

이상한 일이다
여기는 창문이 없어서 창문을 그려뒀는데 그려둔 창문
을 매일 잃어버리게 되고

빛이 들어오는 곳은 감당하기 어렵다는 것을 안다
모아둔 돈이 사라져가는 속도까지

모르는 척하고 싶다
배운 적이 없으니까

실내를 천천히 맴돌다 가장자리가 허전해

신발을 벗어둔다
꼭 누가 와 있는 것 같아서
정리를 시작해보지만

힘 빠지는 일이다
이 방에는 나밖에 없고 가끔은
테루테루보즈를 만들어

덜 허전할지도 모른다
그것을 악착같이 쳐다보는 생활이란

양배추가
푹 익을 때까지
기다리는 시간

네모반듯한 곳에서 둥그런 식물을 천천히 먹고
오래오래 살아서

한 칸의 방을 여러 칸으로 나눌 것이다 현관과 부엌과
거실과 안방과 베란다와 보일러실과 드레스룸과 서재로

정사각형을 만들고 또 만들다가

이곳이 무덤이야
말하게 될 것이다

캐치볼

너는 건초를 치우거나 여물통 씻는 작업을 했다. 네가 일하는 농장에서는 가축 키우는 걸 끔찍하게 여겼으므로 언제나 마구간은 비어 있었으나 너는 성실히 근무했다. 네가 쫓는 건 돌풍에 나부끼는 **빨랫감**, 목책 너머로 날아가는 민들레 홀씨, 내가 너를 향해 던지는 공. 날아오는 공을 보기 위해 너의 고개가 하늘을 향할 때 보이는, 그 턱 끝에 맺힌 땀방울이 너를 신뢰하게 했다. 날마다 네가 있는 곳으로 송구했다. 마이 볼! 외치고 싶어서. 네가 공을 던지기 위해 치켜드는 어깨를 상상하면서. 이따금씩 나는 너를 대신하여 나무 아래 놓인 의자를 발로 차주곤 했다. 너는 내 목에도 밧줄을 걸어줄 수 있었지만. 언제나 너는 매달린 사람의 다리를 한참이나 껴안고 있었고. 가끔 네가 있는 곳은 모두 공중에서 살아가는 세상으로 보이기도 했다. 나는 죽은 이후에도 너를 도울 것이다.

그곳에는 왜

말을 해봐
유령에 대해서도

주워야 하고
버려야 하고

어쩔 수 없구나 별 수 없는
손과 발이 차갑다

먼저 들어갈게 말하자
나는 보았다 반짝거리던 순간을
생쥐의 눈빛을
너의 낯을

알아보게 될 순간

가져본 적 없어서
화목한 사람들을 그리워한다 얼얼해진다

그런 세상에서 살아가는 나에게

이 일을 다 마치고 나면 알려줄 게 있다
지겹고 공허한 말들이 있다면

나라면
내가 그들을 먹어치울 텐데
이빨만을 남겨 뱉어버릴 때까지

이런 게 건강한 건지 모르겠어

칼날과 같이
구경한다

해안가에 떠밀려 온
어느 가족

길게 이어지고 있었다

아주 오래

울다
울지 않고 있다

오빠의 일기를 읽고 이어서 쓴다
나한테 피싸개라고 하지마

머리카락을 다 밀어버린다면
누구도 아주 머리채를 잡을 수 없을 테지

괜찮아? 아주
대답도 생략하고

아주 못된 생각을 하려고
한다만다한다만다하려다

흰 종이를 정성스럽게 찢는다
그것이 아주의 대륙

자라서 신이 되는 건 포기한다
아주는 아들로 태어나지 못해서

아무렴 어때, 창틀을 닦자
열심히 해도 창틀 속에 있는

아주 때때로 자유롭고 불행한
아주 때때로 불행하고 자유로운

아주는 수백 명의 수천 명의 수만 명의 여자애는 언제
쯤 운동장에서 서로를 공으로 죽이지 않을 수 있을까 수만
명의 수천 명의 수백 명의 여자애는 아주

이후부터는 잠시
방학 숙제의 일부이다

이천팔년칠월칠일
날씨는맑고닭먹는날
닭백숙을 식탁 한가운데 두고 여섯 식구가 모인 날이었
는데 그는 닭다리를 주지 않았는데 그것은 아주 남자가 아
니라서였고 힘을 쓰지 않아도 되어서였고 살을 빼야 해서
닭가슴살만 그 뻑뻑한 살만을 뻑뻑하게 목이 멜 때까지 먹

어야 한다고 혼이 났는데 그때는 물이 없어서인 줄 알았
지 그런데 아니었고 그날 혀를 많이 씹었다고 울지 않으려
고 우는 것을 싫어하게 된 그날부터 그가 아주 밉고 밉고
밉고 미워서 눈물이 났는데 다들 그를 존경하는 줄 알아서
착해 착해 착해 그랬는데

　　이상으로 선생은 아주의 노트를 덮는다
　　해수욕장에서 본 장애인에 대해 쓴 같은 반 친구의 글
에는 별 다섯 개를 그려주었고

　　다 자란 뒤에는 직장에서 아주 해고될 것이다
　　군대를 안 다녀와서 결혼을 해야 해서 아이를 낳아야
해서

　　되어버릴 것이다
　　되기 싫은 것으로

　　아주는 사람이 되는 것을 포기한다 사람이 아니다 아들
로 태어나지 못해서
　　줄곧 아니었다 아주 아니었던 것이다

누구에게도 물어본 적 없다 왜 이렇게 살아야 합니까
아주의 진화는 결국 집을 찾는 종족으로의 도달

나름대로 아름답고 이상하지
다른 땅에서는 눈이 내린다
가본 적도 없고 갈 수도 없는 땅

외딴 곳에서 조난을 당한 기분으로
통조림이나 냉동 만두를 먹으며

여기는 방공호
거기는 어디야

오늘의 커피

고마워
이런 곳이 있다니

철골이 드러난 천장
등받이가 없는 의자
무릎까지만 오는 테이블

거리에는 회오리바람이 분다
나는 휘말리지 않고서 서울에 남아

브라우니 위에 올라간 핑크색 생크림
아이스크림을 빠뜨린 메론 소다
미지근한 블루베리 파이를 주문하고

옆자리의 대화를 듣는다
일행은 아니지만 재미있다 잠깐

너 오늘 왜 그렇게 꾸몄니 네가
네가 그러고도 정말

여기 참 정신없다
한 무리의 사람들이 어깨로 유리문을 밀치며
들어온다 쏟아진다 엎질러진다

디저트가 나오지 않아서
나는 금방 무료해진다
옆 테이블에 앉은 사람은 화를 내고 있다

소란하고 탁한 거리
이차선 도로에서 납작해져가는 페트병
보도블록을 따라 굴러다니는 비닐봉지
대리점 앞 쓰러져버린 입간판

조금씩 엉망이 되어간다
일주일 가운데 맨얼굴이었던 날을 세어보며

정말로 그랬었나
정말로

무슨 맛이었는지 알 수 없는 사탕 껍질

어딘가에서 받은 영수증이 나오기도 하는

주머니엔 내 손만 넣어둔다는 것이 나의 신념
내가 이러고도 정말 나빠지는 건 아무것도 없다

왜 불편한 데밖에 모르는 걸까
옆자리가 비게 될 때까지 디저트가 나오지 않는다면

멀리서 개가 짖으며
나에게 얼굴을 물어다 줄 것 같다
그 개의 과거를 떠올리자면
네 발로 뛰어다니는 내가 있겠고
그때는 온몸이 축축해지겠지만

로쿄, 로쿄

로쿄가 울타리를 넘어 굴러온다. 그 뒤로 또 로쿄가 울타리를 넘어 굴러오고 있다. 로쿄는 하나가 아니고 로쿄는 로쿄, 로쿄. 이런 일에는 그러려니 하면 된다. 입맛을 다시면 된다. 이곳에서 우리는 함께 우리는 매일매일 구른다. 구르는 재주가 있어서 안심한다. 이거 귀찮지 않니. 발목을 벗어 내던진다. 울타리 너머로 발목이 날아간다. 뭔가를 이렇게 멀리 던져본 건 처음이다. 우리는 조금 즐거워진다. 우리는 조금 무너진다. 만일 캠프에 온 것이라면. 퀴퀴하고 안락하다. 서로가 서로에게 묻는다. 구른다. 구르고 있다. 어르고 달래는 일 없다. 언제나 출석부에는 로쿄가 아니라 료코라고 적혀 있었다. 그것은 틀렸다. 우리는 틀리다. 찬바람이 불면 엉엉엉 울다가 군밤을 발견하면 하하하 웃다가. 그럴 수도 있지 않았겠니. 모든 것이 뒤엉키고 있다. 우리는 로쿄. 로쿄 가운데 하나를 골라 로쿄, 하고 부른다. 로쿄에게 내 얼굴을 선물한다. 나는 나를 보게 된다. 이런 일은 처음이다. 나는 로쿄를 보게 된다. 나는 사라진다. 로쿄는 생겨난다. 언뜻. 로쿄가 있다. 로쿄 뒤로 로쿄가 굴러 온다. 로쿄가 울타리를 넘어 굴러가고 있다.

영원히 가장 죽은

그 말을 너는 믿어왔다
연못가를 서성이다 들어 올린
비단잉어를 그대로 놓아주면

손바닥에는 여전히 무엇인가
살아가고 있는 것 같았다

이것이 네가 남겨둔 유일한 전진일 때

다들 갈 곳이 있다

그날 너는 어떤 얼굴이었는가
왜 나의 이목구비로밖에 설명되지 않는 건지
아직은 필요한 나의 친구에게

사랑을 말하며 뛰어오다 네가 넘어진 날
나는 사랑이 넘쳤다고 생각했다 그렇게
죽어야지 아니 살아야지 아니 조금
더 아름다워 보이는 쪽으로

타월과 타월을 엮어 매듭을 짓는 동안이었다
매달린 이후에는

긴장 없이 왈츠를 췄다

또다시 편지하자
닿지 않는 악수처럼

헛스윙,
헛스윙을 해

환영합니다 이곳은

0.

뼈가 자랐다 세상 사람들의 뼈가 멈추지 않고 자랐다
뼈만이 자라서 뼈를 감당해야 했다 사람들은 집을 버렸고
한강을 버렸고 서로를 버렸고 땅에 자신의 뼈를 심어 버렸
다 마침내 더는 아무것도 버려지지 않았다 장소만이 남게
되었다 뼈가 자랐다 뼈만이 자랐다

1.

집 근처로 장을 보러 갔는데
사람을 한 명도 못 보고 돌아왔다

이럴 경우 내가 해야 하는 일은
쟁반에 쌀알을 풀어놓은 뒤
벌레들이 나오기를 기다리는 것

아무것도 느껴지지 않을 때까지

베란다에 서서 창문에 손바닥을 대어보면
손금이 갈라지는 것처럼

모든 일이 선명해졌고

손님이 돌아오기를 기다렸다
서서히 흩어져버리는 기분이 들었을 때

쟁반 위로
유유히 지나가는 구름의 그림자
초인종이 울리는 순간에는

2.
언제부터 이렇게 순했을까
비닐봉투에 눌러 담으면
꼭 털 한 뭉치가 들어 있는 것 같아
목장을 가진 듯 든든할 거야

네가 말할 때마다
나는 자꾸 미끄러진다
가장자리에 버려둔 가족사진을
네가 구경하는 중이다

그들의 얼굴을 엄지손가락으로
꾹꾹 눌러가면서
가족을 가진 기분이라면서

나는 네게 흰 쌀밥을 내어준 적 있다
식구라고 마음먹은 지 좀 됐어
이따금 베란다에서 벌레도 찾고
길거리도 내다보려 한다

가끔 머리 굴러가는 소리 들려오면

4부

이게 나의 평화

컨디셔닝

조용
잠자리 붙어 있다
네 등에

어떻게 해야 해?
이 부자연스러운 상황

흰 손바닥에 흰 델피늄
잘 어울리는 것 다시 말해 식상한 것

꽃을 손질하면서 생각했다
식물을 죽이는 것 말고는
재능 없는 게 아닌가

한편으로는 억울했는데
한편으로는 안도했고

잘하지 않아도 된다고
다독여주던 사람도 있다
줄기를 그러쥐는 손의 스텝

스파이럴
스파이럴
스파이럴

틀리고 싶지 않다
이후에 할 일은 줄기를 꺾거나
자르는 것이고 부러뜨리기도
종량제 봉투에 담기 위해 짓밟기도 한다

훼손에 훼손을 거듭하다 보면 볼 수 있는

잎사귀 뒷면에 난 점박이 무늬
열매와 열매 사이에 탁한 열매 한 개
염색물이 덜 빠진 꽃대

어그러짐의 아름다움
빗나감

깎아둔 손톱이 희끗해질 때마다

슬리퍼에 꽃잎이 짓물릴 때마다

꽃의 이름은 매발톱

나는 나아가고 있다
뒤엉킨 나뭇가지 사이로 쏟아지는 빛이 어떤 밝기인지

환한 것을 보았다고 해서
개운하다는 건 아니지 다만
어떤 사실만이 선명해져가고

발밑으로 그림자가 생겨나고 있다
정수리가 다 식어 있었고 이제
다 했으면 집에 가자고 했다

나를 돕고 왜 돕지 않고

나아지는 게 없다는 걸 나만 안다
사방은 기둥으로 막혀 있고

과거의 나는 미래의 내가
조금 더 똑똑해지기를 바랐으나

비상등을 켠다 주차가 어려울 때
이럴 때는 자동차를 들어 올리고 싶다
보여주고 싶다 묵묵히

살아가는 가족이 있다
그들은 화장실 하나를 함께 쓴다
그것이 그들의 따뜻함

이유 없고
원인 없음
에러 아님

열어둔 선루프로 들어온 초파리가
내부를 휘젓고 다닌다

걷잡을 수 없어진다

비누로 속옷의 핏자국을 문질렀을 때
아무도 죽이지 않았는데 죽이고 만 것 같은 기분을

느낀 적 있다 차창 밖 보이는 남산의 탑은
신비롭고 아무 의미가 없어

손바닥에서 식은땀이 난다
시멘트벽에 헤드라이트가 가늘게 비치고 있다

밤섬과 뚝섬은 갈수록 나빠져간다고
꿈에서도 사과하지 않던 사람에게
서울에 열대 과일이 자라게 되면
우리 이제 어디로 휴양을 가야 하느냐고

브레이크에서 발을 뗀다
이게 나의 평화

패를 다 내보이는 게임을 시작하고 싶다
나는 유일해진다 모든 나는 사랑받는다

기분 좋다 여기
함정이 있다

에필로그

살아가고 있다고 생각했다
이렇게 되고 나니 편안했고
사려 깊은 사람과 같이
베란다에 두고 온 귤 상자를 걱정할 뿐

참 포근하구나 사람들은
누워 있는 나를 쓰다듬었다 잘 가
춥지 마 관이 닫힌 이후에는
못질을 좀 해도 되겠습니까?
나의 귀한 겉옷을 위해서요

공원의 가장자리에 앉아 너랑 나랑
가로등에 빛났던 얼굴만이
까무룩해졌다 너의 목소리가

반 박자 늦게 켜지는 센서등에
긴 복도가 생겨난다는 말을
듣다가 깜박거리는 너의 옆얼굴을
감감히 쳐다보다가

햇빛이 쏟아지는 동안에는
네가 사랑받고 있다 느끼기를

언 손으로 네가 나의 목을 감싸 쥐었을 때
세상은 사라지고 있었고

있지, 구원은 없는데
너는 기억하고 있단다

들어와
그때 네가 입장한 것은
너의 잘못이 아니다

이후의 산책에

알았어 이따가
이따가 씩씩해질게

나는 꿈에서 나를 데리고 나와
철길을 따라 걷는 중이다
근처로 식당과 카페가 개업하고 있고
그곳들을 들러 쿠폰을 만드는 것이 나의 취미

잘했습니다
일어서기에 성공했습니다
알림 메시지가 뜬다

다들 부지런하구나
자전거를 타고 배달을 가거나
플리마켓에서 공예품을 팔거나
봐라 이게 현실이다 말하는데

나는 벤치에 앉고 싶어 할 뿐
그저 피곤하다고 거기 있어보라고 그동안

흩어지는 게 있다
한쪽으로 치워둔 낙엽과
마음과

한참을 걷는다 나는
나를 모방하려 하고 있다

가끔 나타나
누구도 눈치챌 수 없게

서늘해지고 있다

약간의 뒤틀림이 있을 수 있고
폐업한 가게들이 보이기 시작한다

반대편으로 되돌아가자
움직이자 아름다울 것이 없었다

양말을 뒤집어 신은 듯이
내가 나보다 어른된 얼굴이듯이

다녀감

커튼 사이로 새어나오는 빛은 정지한 모양이다 방 안이 심심하다며 친구는 티슈를 뽑기 시작한다 그 일을 가장 좋아하는 사람 같다 목이 꺾일까 봐 뜀틀에서 굴러보지 못했다는 이야기를 들려주겠다고 그래서 체육 시간이면 창고에 숨어 먼지 쌓인 곳마다 손자국을 남겨 두거나 사선을 그리며 시간을 보냈다고 친구는 몇 장의 휴지를 주워 무릎에 올려둔다 이제 좀 정리가 되네 친구의 시선은 바닥을 향해 있다 그것만 볼 줄 아는 사람 같다 발가락을 오므렸다가 편다 맨발을 한 친구는 장마철 살이 나간 우산을 써본 적 있는지 물어 온다 그때부터 양말은 찾지 않게 되었다는 말을 한다 그런 건 소용이 없더라 친구는 애를 쓰고 있지만 순식간에 축축해진다 눈물과 콧물로 얼굴이 미끄러워 손으로는 잘 닦이지 않는다 모든 것을 흘리는 사람 같다 그러나 상상할 수 있다 어느 여름 친구는 못가에서 물방개를 찾고 있었다 짧게 깎은 손톱에 물이끼가 묻어 있었다 더운 바람이 친구의 잔머리를 스쳐 가고 있었다 햇빛에 머리카락이 반짝이고 있었다 친구가 커튼을 걷는다 실내는 단번에 환해진다 그뿐이다 친구는 나만이 그려봤던 표정을 지어 보인다 눈 감아봐 친구가 나의 손바닥에 천천히 글씨를 쓴다 무엇을 적는지 모른다 나는 친구를 모르는 사람 같다 혼자 있던 사람 같다 물컵이 떨어진다 카펫 위를 구르다가 문턱에 가 닿는다 소음만으로 알 수 있는 것도 있다

먼 곳

오늘 반드시 아름다운 것을 봐버리자 너는 갓길의 트럭에서 자두 한 바구니를 샀다 조수석에 앉아 비닐봉지의 입구를 열어 자두가 바람을 쐴 수 있도록 도왔다 보이는 건 논두렁 뿐 돌아서 가면 어디든 멀었다 이차선 도로였고 구불구불한 길을 타고 달려 도착한 곳에는 정원에 대한 안내판이 세워져 있었다 데이지 꽃밭과 조팝나무 미로를 구경하기로 했는데 데이지는 꽃잎이 다 떨어진 채 죽어갔고 미로에는 울창해진 나무만이 아치 형태로 남아 있었다 어쩌다 이렇게 되었을까 내가 조팝나무 아래에 서자 너는 팔뚝으로 땀을 닦으면서도 필름 카메라의 초점을 맞추고 셔터를 눌렀다 우리는 일몰을 기대하기로 했다 해수욕장으로 가는 동안에 너는 자두를 먹었다 손안에 꼭 들어맞는 자두를 먹다가 물티슈로 손을 닦았다 번져가고 있었다 도착한 해변에는 우리만이 오롯했다 모래사장 구석구석을 돌아다니며 사진 찍는 너를 보며 바닷바람이란 영 시원하지가 않다 몸이 끈끈하다 팔을 털었다 파도에 밀려온 비닐이 모래에 엉긴 채 붙어 있었다 돌아갈까 주차된 차 안에서 네가 건네는 것 그것을 오래도록 외면하고 싶었다 설익은 색이었다 사이드미러로 그런 얼굴이 보였다

정물의 순서

기어이 그렇게 빗나가는구나
한 명도 답장하지 않는 나날 속에서
집 다음에도 집이 있을 것 같아

죽은 이의 억양을 기억하려 하고
대견하다 믿는 마음을 의심하려 하고

방 안에서 식칼을 껴안고 있는 것이다 모로 누운 채 날
카롭기를 바라면서 삼킬까 고민하는 것이다 옛 이야기 속
이름도 없이 사라진 여자들
비명을 준비하는 것이다 목울대가 갈라진다 해도 그들
이 내 손목을 붙잡은 채 잠이 든다 해도

기도해 누구인가 나를 들어올리기를
그의 엄지와 검지가 내 뒷덜미를 잡아

그렇게 고원에 가 닿으면
그곳에는 미안했던 사람들이
둘러앉아 시리얼을 먹고 있다
눅눅해질 때까지

꿈에서 만난 이는 매번 어렵다
나의 뒷모습을 정면으로 바라볼 수 없듯이

베란다에 놓인 토마토는 조금씩 터지고 싶어 한다
한 귀퉁이가 갈라지는 순간을 기다리며
그 의연한 태도에 감명 받은 내가
토마토를 들어 올리면
팔뚝을 타고 방울방울 떨어지는

5부

미래가 생겨날 것 같다

여러분이 믿지 않는 것을 나도 믿지 않습니다

구멍이 생겨버렸다 터무니없이
세상 사람들은 겁에 질렸는데 그 구멍이 보기 흉하다고
세상에 이토록 해괴한 것이 있어서는 안 된다고 했는데

올해의 학자가 구멍이 안전하다는 보고서를 내자
구멍을 인정하게 되었다

나랑은 상관없었는데
나는 구멍도 아니었고 구멍이 무섭지도 않았는데

구멍처럼 생각했다
그것이 무엇인지는 모르지만
구멍처럼 생각했다

손가락을 그리는 게 어려워 주먹 쥔 인간만을 그린 적
있음과
그들이라면 구멍을 막아보겠다고 그 속으로 뛰어들지
도 모름을 떠올릴 때

이따금 누군가 구멍 안을 손전등으로 비춰보기도 했다

뭔가를 찾기라도 하는 듯이

유치원생들은 구멍을 보기 위해 체험 학습을 갔다
구멍 속에 모든 것이 던져지고 있었다

사람들은 구멍을 깜박한다
구멍을 막아볼까

말까
홀, 홀 하고 휘파람을 불까

구멍은 답이 없고
구멍을 사랑하기로 한다면
먼 미래 미래의
종로 사거리를 걷는 일만이 남는다

그곳은 구멍이 발생한 지점
주위로 퍼레이드가 시작될 테고

촉력

장작에 붙은 불이 타오른다
손을 넣어보고 싶어 그러면 나도
뭔가를 태울 수 있는 사람이 될 수 있다

한 개의 라이터를 다 쓰고 나자
어떤 일을 끝까지 해낸 마음이
지나가는 중이다 모닥불 앞에서
이것만을 오래 매만져도 나는 좋다

램프에 휴지 조각을 갖다 대어
산장에 불을 낼 뻔한 적 있었지
이제는 타오르는 불 속으로 편지를 한다

이리저리 움직이는 불을 보다 보면 저렇게
왁자지껄한 시절이 나에게도 있었다는 게

혼자 손뼉치고 노래하자 그러자
미래가 생겨날 것 같다 미래의 미래까지도

때로 그것이 전염 같을지라도

캠프파이어가 끝나고 난 뒤 따라오는 평화처럼
불씨가 다 꺼져버린 이후에는

사람을 처음 때린 순간이 생생해진다
그 이름을 늘어놓으며
쇠꼬챙이로 타다 남은 재를 뒤적거린다
나열이 끝난다 해도 실천하지는 않을 것이다

누군가 내게 다가와 머리를 쓰다듬는 순간
화가 나는 게 느껴진다
이 사실이 나를 살게 한다

포즈

마네킹을 보면 악수를 하고 싶다
그 손목이 빠져버릴 때까지

손을 흔들고 있었다 퍼레이드에 도착해
부스도 돌아다니고 사진도 찍고
평범한 사람들과 함께 무지개를

다리를 건너가 죽은 동물들을
리셋하며 기르는 게임
아무리 해도 지겨워지지가 않아

광장은 가상현실이 아니지
지옥에 간다는 외침들이 있고
저주를 받아 적으면서
무자비한 것을 재어보려 한다

서울은 얼마나 큰지
국회의사당엔 변신 로봇도 있다며
양화대교 아래에는 괴수가 살고

아스팔트는 찢어지는 중이다
사랑에 이름을 붙이고 있다
시도 때도 없이
밀쳐내고 있어요 내가 말하고

밀린다 앞만 보고 걸으면 되는데도
뒤떨어질까 봐 집중해서

길목마다 주먹을 쥐고 신을 부르는 인종
저 손바닥 안에 있는 것을 생각해본다

사람의 손을 보면 하이파이브 하고 싶다
손바닥 끝이 끝까지 얼얼해진다

유도리

우리는 오키나와에
있다 아메리칸 빌리지에도

여기는 한국인이 참 많다
여기는 참 싫다 하면서

대관람차를 탄다
걷지 않는데 걷는 기분으로
편리해서 몸 둘 바를 모르고

우리는 즐거워서 무엇도 될 수가 없다

사람 빼고 모든 것인 로쿄는 머리뿐이라서
의자 위를 구르고 있다

그때마다 세상의 한구석이 무너져 내린다면

도시는 야금야금 작아지고 있어서
다른 나라가 아닌 것 같다 사람 사는 곳이 아닌

서울에서 벌어먹고 살다
전망대에 올라갔었다

엘리베이터에는 창문이 없었고
이런 걸 왜 돈을 주고 탔을까
우리는 정말 높이 올라가고 있는 걸까

귀가 멍멍했다
물에 빠진 것처럼
응급실에 실려 가는 것처럼

나를 먹여 살리는 일이
익숙해지지 않았다

그날 분명 서울을 내려다 봤는데

나라서
로쿄라서
우리는 평범해서

블루실 아이스크림을 떨어뜨렸을 때

녹은 아이스크림이
아스팔트를
기어가고
있었다
나로부터
멀어져가고

끈적한 두 손을 아무 데나 넣어두고 싶었다
이런 건 집에 두고 와도 좋았겠다고

로쿄가 말했던 것 같다

아무것도 묻지 않아
깨끗한 머리를 하고

옥상에서 물총 놀이 하는 애들이 보인다
나도 여러 번 죽어봤는데

아무도 구해주지 않아서

우리는 대관람차를 타고 있다
우리는 즐거워서 무엇도 될 수가 없다

로쿄는 사람의 말 빼고 다 알아듣는데
나는 사람의 말밖에 몰라서

입을 다문 채로

로쿄를 두고 내린다
나를 두고 내린다

아무런 문제도 일어난 적 없는 것처럼
대관람차처럼

로쿄만이 오키나와에
있었다 아메리칸 빌리지에도

가끔 시끄러워 나는
자주 기억하지

정말 진심이다 이건
내가 알아서 할 문제

쓰고 싶고 쓸 것이다
이층 카페 창가 자리에서
티슈를 찢어 조각내고 있다

버려지는 것과
교차로를 횡단하는 사람들

나는 지켜보고 있음
나는 이해하고 있음

주변에는 앉을 곳을 찾아 서성이는 이들이 있다
열차가 오지 않는 플랫폼 생각을 한다

그곳에서
모두를 응원해본 적 있는 것 같다

종로에 도착했을 때는
이미 폭우가 내리고 있었다
유리창들이 무너지는 모양을 하고 있어서

양손으로 정수리를 가린 모습으로 뛰어온 내가 지금
여기 나와 마주 앉게 되어
박수 보내게 될 일을

예감하며
끈질기게 있을 것이다

앞자리에 앉은 사람의 겉옷이
바닥에 끌리고 있다 그 사람은
아까부터 자리를 비운 지 오래다

흘러내린 거
되돌려놓기

비 온다 오다가
그친다

오고 있다
손을 들어 보인다

무대는 무대

안정적인 게 뭐가 나빠
구조가 짜여 있다는 게

나는 알기 싫다
공연이 시작되기 전까지는

암전되면
역할이 있으면 좋겠다

장소는 틈날 때마다
바뀌고 생겨나고 잊히고 있다

방 밖에 방이 있는
방 안에 방이 있는

이야기는 뻔하고 흔해서
실내를 겉돌고 있는 기분

이런 곳에 격리되어본 적 있다
단상에 올라갈 수 있는 건 한 명뿐

아버지를 곤충으로
어머니를 사자로 만들어

무엇을 했어
무엇을 했냐고

주연이 조연의 멱살을 잡고 있다
객석의 누구도 말리지 않는다
저 상황은 가짜인 것을 알아

사람들이 일어나 박수치고
배우는 차례로 나와 인사하게 되리란 것을

아느냐고 모르느냐고
쓰지 않아도 멋진 사람들
가면 없이도 완벽한

시간이 지속되다 끝난다
퇴장하며 브로셔를 샀는데

아는 이름이 없었다

뉘앙스

서로가 거짓말을 하고 있다
소면을 얼음물에 헹궈 먹는 동안에

유리그릇 아래로 고이는
물자국을 만져 보고 싶다
네 이마에 손을 대어보았던 날
세상에 이렇게 찬 것이 또 있을까 했는데

나는 그냥 소름이 돋았다
보기 좋게 잘라둔 수박을 볼 때나
가지런히 놓아둔 씨앗을 만질 때도

그곳에는 갈 수 없었다
그곳은 없었으므로

모든 일에 화해가 필요한 건 아니다
너는 자기 그릇의 테두리를 천천히 매만지고 있을 뿐이
라서
너에게 속을 털어놓은 건 오래전 일 같다

내가 받은 모든 게 감사하지 않다는 것과
네 손가락 끝에 물이 맺히지 않는다는 것
부엌 창으로 들어오는 햇빛에 네가 희미해져
눈을 깜박일 수조차 없다는 것을

이제는 이야기해야 한다
의자를 당겨 앉아 마주 앉아
말할 것이 남아 있었지만

소반 위 면들이 말라간다
맞은편 자리에는 나무젓가락만이 놓여 있고
네 잇자국이 남은 부분을 손톱 끝으로 긁다
부러뜨린다 테이블에 흘린 물이 너무 많아

목구멍이 간지럽다
나중에야 알게 되는 건 없다

로코

공놀이가 싫어서 공이 되고 싶었는데
머리만 남아 있다 던지는 것도
맞는 것도 하지 않으려고

굴러다니다가
굴러다니다가

한강에 도착하니 사람들은
폭죽이 터지기를 기다리는 중이었다
나도 기다려야지 끝장나는 장면이 나타나기를

친구들이 위기에 처하면 날아와
자기 뺨을 떼어 먹이는 애니메이션처럼

굴러다니다가
강변을 따라 구르다가
뭐든지 간에 진짜 끈질긴 것
나를 질질 끌고 다닐 만한 것을 삼킨다

그런 사람들이 있었다

길을 물어볼 때 손가락으로 찌르는
팔을 크게 휘두르며 걷는

누군가 박수를 치며 재밌어 죽겠다고 웃는다
내가 정말로 머리만 남게 될 때까지 즐거워하던 사람들

친구들과 창밖으로 고개를 내민 날에는
멀리서 폭죽 터지는 소리가 들렸는데 아무것도 보이지
않았고
그때 나는 그들의 벌어진 입 속으로 벌레가 들어가기를

기다리고 있었다
팔과 다리가 나와
그것들을 줍다 보면
나의 가난한 친구들은 말도 없이

먹어주지 않는다
잘 익은 꼬치구이도
트럭 오븐에서 구워지는 통닭도

돌아가고 있다
희뿌옇게 셔틀콕이 날아오는데

6부

자신 있어?

아주 오래

골치 아프지 않다.
자연사가 제일 어렵다 해도

집을 청소하는 대가로 집을 확장시키는 게임을 한다.
아주 베란다가 있었다면 잘해줬을 것이다.
매일 먼지를 쓸어줬을 텐데

당산역에서 합정역으로 건너가는 동안에
열차가 한강 한가운데서 멈추는 건 아주가 베란다를 갖
게 되는 것만큼 희박한 일

서울이니까.
이 구간은 사라지지 않고. 사람들은
어깨를 밀치기도 하고 발을 밟기도 하면서
사과하지 않는다. 대화하지 않는다. 죽지 않는다. 열차
가 흔들리며 달려가듯이

개의치 않고

원자력 발전소가 폭발한 이후의 이야기부터 시작되는

게임을 다운로드 한다. 핵폐기물을 처리하고 땅을 사고 실종된 시민들을 찾아 마을을 가꿔낼 것이다.

순환선을 타고 있다. 비상시에는 어떻게 해야 좋을까. 앞 열차와 충돌하거나 선로를 이탈하는 경우에는. 검지와 엄지를 이용해 아주 집어 올려 줄 사람은

아치교를 설치한다. 무너뜨린다. 추락한다. 아주 새롭게 호명되고

다음엔 어떤 게임을 해볼까. 어떤 역에서 내려야 할까. 놓치고 있다. 맴돌고 있다.

모르는 사람이 무릎에 종이 한 장을 올려둔다. 그의 사연이 적혀 있다. 현금이 아주 있었더라면

옆사람은 벌떡 일어나 내린다. 흰 종이가 바닥에 떨어진다. 작고 네모나고 희다. 엄지와 검지를 이용해 그것을 집어 올린다.

성가신 일은 일어나지 않는다. 여전히
오히려 서울인 만큼.

십자매

새장의 마음으로 생각할 수만 있다면 그것이 시작이라고 믿는다면

네가 산다 온종일 해 질 녘인 곳 다들 서로에게 질투하는 법을 모르는 곳 외투도 선풍기도 필요하지 않은 곳 머리카락이 한쪽 뺨에 살짝 닿는 거기

거기서 기다리라고 전한다

너의 새가 죽었을 때 과자 상자로 관을 만들어준 적 있다 어째서 망자는 규칙을 되찾은 표정인 건지 마치 쌓여 있던 설거지를 모두 끝내놓은 사람처럼 너는

낭만을 사랑한다 사후 세계에서는 화해한 기억 중 하나의 장면만을 갖고 살아간다는 이야기 같은 것

그런 네가 죽어서도 삶이 지속된다는 일까지 반가워할까

편지를 뜯어 읽던 시간에 삐뚤빼뚤한 글씨체를 보면서 그것이 눌러 적은 마음이라 생각하는 너의 얼굴을

믿으세요?

너는 기억한다 반려조가 했던 일 누군가와 대화하던 시간에 그 목소리는 우리들의 것이에요 말하던 것

작은 창으로 볕이 들어온다 새가 여기저기 날아다녀 날갯짓 한 번에 먼지가 풀어진다 먼지에게도 빛이 있다는 착각

죄가 없다는 오해는 곧 너의 전력

작은 것에도 의미를 두지 않고는 도저히 너의 형태를 상상할 수 없는 기분인데

다 그만두고서 양말도 안 신고서 침대 속으로 파묻힌다 안타까워해도

너는 나아갈 것이다 건조대에 널어둔 옷들이 천천히 말라간다 누구로부터 해방되고 난 이후의 삶

오로지 손님만 남고 환영 없는 나날 속에서

낙원에 도착했다
그렇게 믿겠다

퀴즈

매일 가면을 벗고 있다
의심은 없다

침 흘리는 것을 아무도 모르므로
이대로도 좋다
맨 뒷자리에 앉아 뒤통수를 세면
한 명이 모자라거나 두 명이 많고 대부분

그들이 반갑다
공포를 느끼지 않는다는 확신으로

입을 벌리고 서로에게 물을 뱉으면 셔츠가 젖고 칠판은
쏟아진다 책상이 밀려난다 복도에 난 창문을 신문지로 닦
으며 그 모습을 지켜본다 지문 위에 입김을 분다

희부옇다가 선명해지고 곧
지워진다 보던 것이 사라진다 이런 일에

의심은 없다
○표와 ×표 가운데 하나를 뽑고 나서 그걸 숨기기 위해

온몸으로 종이를 가렸을 때처럼

얼굴은 없다

가위로 두 볼을 찌르기도 했지만
끝까지 멀쩡하다

교실은 제자리에 있다
유리창은 제자리에 있다
나는 제자리에 있다

누군가 곁으로 와 이목구비를 맡기고 간다
나는 그것을 받아서

쓴다
계속해서

의심은 없다

이것은 이해가 아니다

친애하는 메리에게
나는 아직입니다 여기 있어요

불연속적으로 눈이 흩날립니다 눈송이는 무를 수도 없이 여기저기 가 닿고요 파쇄기 속으로 종이를 밀어 넣으면 발치에 쌓이던 희디흰 가루들 털어도 털어도

손가락은 여전합니다
사람을 만들 수도 있을 것 같아요 그 사람은 가장 보편적인 성격을 갖게 될 것입니다

녹지 않으니까
착하다고 말해도 되나요

의심이 없을 때
평범한 사람을 위해

젖은 속눈썹 끝이 조금씩 얼어가는 게 느껴졌습니다 극야로부터 멀어지고 싶고

장갑을 끼지 않아 손가락이 아팠습니다 나에게도 손이 있다니 나무들을 베어버릴 수 있을 만큼 화가 났습니다

메리에게 답장을 씁니다
천사 혹은 기원이 있을 곳으로 눈은 그칠 줄 모르고 눈밭에 글씨를 써도 잊히는 곳으로 우리가 전부여서 서로에게 끌려다니는 곳으로

눅눅한 종이 뭉치를 한 움큼 쥐고 있었는데
눈을 뭉쳐 사람을 만듭니다 우리가 소원하고 희망해온 사람

무겁고 불편한 폭설입니다 사람들은 여기저기 쓰러져 있어 그들의 눈을 빌립니다 그는 천 개의 눈을 가진 이가 될 것이에요 제가 그렇게 만들었으니까

메리, 나는 겨우 있어요
내일과 같이 여전히

파의 기분

너의 흰 티셔츠에 붙은 매미를 본 적 있다
실은 얼마나 목이 늘어졌는가를

왼쪽 어깨에는 금잔화가
약점에는 물푸레나무 잎사귀가 닿던
유리정원에서 걸었을 때
뒤꿈치를 들고 다녀야 했는데

파열음
파열음

그곳에 벗어둔 신발의 매듭은 풀려 있었다
계속해서 방향이 있다고 믿었다

파열음

너의 어깨를
작고 무르지 않은 그 언덕을 감싸 쥐면
면목 없이 너를 미워하게 된다

파열음
파수꾼으로부터
파괴되지 않으려고

우리의 일에 역사가 만들어지지 않는다 해도
그 누구도 우리를 단번에 삼켜버리지는 못할 것이다

모든 사건이 이어지기를 바라는 건
어쩌면 나쁜이라 해도

야영단

1.
아주랑 로쿄랑 나는
동그랗게 모여 앉아 있다

셋 밖에 없어서
어딘가 찌그러진 모양으로

아무쪼록 잘 먹고 잘 살게 될 것이다
어떻게든 방세도 내고 창틀도 닦을 거라고

애를 쓴다
한 번쯤은 조금쯤은
우리를 찌르고 간 손가락들을 기억해내려고

그러나 다들 손 같은 건 가져본 적이 없다고 해서
그런 일이 있었느냐고 해서

내 엄지와 검지를 나눠 가진다
사이좋게 지내자
우리는

부족해진다
과천야영지까지 와서도

2.
살아 있는데 한 번쯤은
나도 아니고 로쿄도 아니고 아주도 아닌 것을
태워보고 싶어서

여기서는 불을 내
도 됩니다

안내판을 읽고 읽는다
때로 읽을 수 있다는 것이 기쁘다
우리는 박수를 치고 친다

이러려고 모여 있다
때로 모여 있는 것으로 충분하다

따뜻한 물주머니를 안은 것처럼
든든해져가고

알사탕하나를나눠먹는다어금니로깨물어도깨지지않
는것을

아주랑 로쿄랑 나랑
왕왕 의논한다

서로의 얼굴이
밝아지다
깜깜해지는 경우들에 대하여
깔창을 생리대로 쓸 수밖에 없다는 것이나 옷걸이로 태
아를 빼내기도 한다는 것에 대하여

때로 말을 해도 무용하다는 것이
못마땅해서 나는 굴러다니지만

우리는 함께
있다 친하게 지내고

3.
우유에 마른 감자 몇 알을 넣고 끓인다

오랜
시간을
지켜
본다

로쿄는 머리밖에 없고
아주는 허리가 굽은 노인이고

나는 어때 보여
너는 사람 같아

그렇다면 말을 할 수 있으니까 말을 한다
　먼 나라 작은 마을에선 망태 노인이 부모들을 잡아가는
바람에 남은 어른들은 벽장에 숨어 앙앙 울어버렸대
　로쿄와 아주는 이런 이야기를 좋아하고

나는 그들을 좋아한다

냄비 바닥에 스프가 눌어붙을 때까지
그을린 자국을 다 벗겨낼 때까지

요금 걱정 안 하고 관리비를 계산하지 않는다
사람인데 이대로도 괜찮아
내가 묻자

아주는 허리를 굽혀 땅을 파고
로쿄는 그 안으로 들어가 안락해하고

뭘 묻으려고?
이를테면 먹다 남은 스프를

4.
우리들이 모여 있는 곳은 비좁지만 포근한 텐트
촌스러운 벽지가 없어서

우리는 어떻게든 잘 지내려고

신뢰받고 싶다
생각을 하고

타워와 같이
대교와 같이

막막해진 숲속에서
안내판은 읽을 수 없어진다 어느새

따돌리고
고립시키는

서울이다 이곳은
천막으로 되어 있고

떨어지지 않고
엉겨 붙어가며

가지고 싶은 가족의 수를 세어보는데
지구는 넘치지 않고

셋밖에 없는데
로쿄랑 아주랑 타버린다면
불은 크게 크게 솟아오르고 아무 곳이나 막 찌르면서
소리 지르면서
함께 있지

않았다
처음부터 우리는 떨어져 있지

오로지 나의 열 손가락만이 사이좋고 친하다

물주머니는 식어버린 채로

아무것도 필요 없어

트랩이 흔들린다
그 끈끈함 속에서

도림천을 따라 걸었다
쑥스럽지만
그런 저녁은 흔하지 않아서

열심히 팔을 움직이며
앞서 가는 사람들을
보행 길을 따라

벗어나지 않기 차분하게
바쁘게

물살이 흐르고 있었다
구급차는 찻길을 달렸고

저기 지나갈게요
다들 한 방향으로 걷는데도
왜 앞을 똑바로 보고 있지 않은지 나는

끝을 보겠다
걷기 직전에 생각했다
오늘 예보는 틀렸다

지금은 벌레들이 웃돌고 있다
방충망 너머에서

하수구 근처에서
벤치 아래에서

온몸을 말고 있던 것을 보았다
그를 데리고 와 씻기고 먹여

덫 놓는 법을 가르쳤다
정확히 봐야 해
손가락을 만들어주었는데

공사중
서행하시오

창문을 열고 그를 본다
자신 있어?

부록

안미츠와 성실하고 배고픈 친구들

1.

안미츠 씨가 사랑하는 건
아름다운 디저트 쇼 케이스

볕이 잘 드는 테이블에 앉으려면
일찍 가야 넉넉하고
안미츠 씨는 자신의 소중한 사람들이
아무 곳 아무 음식을 먹는 것이 제일 속상하다

차가 우러나는 동안
안미츠 씨는 그들에 대해 이야기한다
그것을 받아 적는 사이 그들은
무언가를 먹고 있을지도 모른다

안미츠 씨처럼

2.
기나긴 몸이 되어서 긴 복도를 기어다닌 적 있는데요
가끔씩

기다리라고 했는데
기다리지 않은 친구들을 기다리는 중이었고

흰 종이가 까맣게 될 때까지 반성문을 쓰라는 벌을 받
은 것처럼
오늘 저녁 반찬은 뭘까

운동장 끄트머리에서
모래바닥에 뺨을 대고
이 자리에서는 몇 명이나 죽었을까
싶다가도

배가 고파

수저통을 짤그락대며
집으로 돌아가는 길에는요

3.
축하합니다
(아마도)

집만이 전부라 해도 그래서 걷다가 막히고 걷다가 막혀
서 맴도는 일밖엔 할 수 없다 해도 전염병도 없이 잠드니
까 빈속에 물을 많이 마시면 몸통에 물을 채우는 느낌이
드는 것처럼 일과처럼 그냥 항상 먹고 싶은 음식을 세어보
다가 잠이 드니까 업데이트는 계속 되고

친구를 초대해도 수락해주는 시대는 지났습니다

잠들기 전까지 하는 것은

세상을 망하게 하는 게임

나만이 살아 있는 채로
나만이 없는 행성에서

사람과 같이

4.
공원에서 산책을 하다 공중화장실에 들어가면 두 칸 중
하나는 수리 중
남은 한 칸에는 알 수 없는 구멍이 너무 많다

선택할 수 있는 건 단 하나

손이 계속해서 그 자리에 있다는 듯
손을 닦고

나온다 뉴스에는
갑자기 칼에 찔려 죽은 사람에 대한 사건들이

더 격렬하게 애도하고, 더 크게 소리 지르고, 더 날카로
워지고 싶어요
　　　　　　　　에이드리언 리치의 시구를 읽으면서

어딘가의 공원으로 야유회를 가게 되면
과연 특별시의 생활이 멀쩡해지는지도 모른다

왜 혼자서 할 수 있는 놀이는 없을까
선택할 수 있는 것은 단 하나뿐

구멍이 계속 그 자리에 없었다는 듯

구멍 막고

또 막는다.

5.
아무래도 좋은 사람이고 싶다
유기견 프로젝트도 후원하고
독립 출판물도 사 읽었다

아무래도 좋은 사람이어서
아무래도 좋은

과학 시간에 했던 실험
　선생은 고양이의 털가죽을 나눠주고 전기를 만들어보
라고 했다 나에게 온 것이 정말로 고양이의 등이나 배라는
걸 믿을 수 없었다

　집에 가고 싶어

친구들이 털가죽을 내 머리 위에 얹었는데

그들의 이름은 잊었다
알고 있던 이름들을 버려가며

부지런히 귀가한 사람이 된다
식탁 불을 켠다

6.
언젠가 집으로 돌아가는 길에 뼈 해장국을 먹으러 갔는데

　서울에서 먹어본 것 중 가장 끔찍했지만 서울에서 가장
유명한 집이라고 해서

　맛있는 척했지 뼈와 뼈 사이에 젓가락을 꽂아 뼈를 쪼
개어

사냥한 사람이 된 것 같았다 살점에서 올라오는 따뜻한
기운이

축축한 고기가 두려웠다 땀을 흘려 축축해진 사람들 사
이에서

한 그릇을 비워내기 위해 애를 썼다 일 인분을 해내려고

모자며 목도리 따위를 어딘가에 두고 오곤 했는데

아스팔트를 굴러다니는 머리

혹은 어떤 이의 신발에 끌려 다니는 목의 이미지

매일 조간신문에선 사고로 죽은 사람들의 이야기가 연
재되고

뼈가 부러지거나 해도 잘 붙지 않는 때가 오면

뼈 같은 건 먹지 않겠다고 다짐하다가 그 다짐을 까먹다가 다시 다짐을 하다가

그 식당에도 분명 두고 온 것이 있을 텐데 기억하지 않으려 한다

7.

그와 함께 서울대공원에 갔었다 날이 더워 동물들은 그늘로 갔는지 보이지 않았다 동물 안내 푯말을 읽다가 체험관에 들어가 쉬었다 시원한 곳이었다 그곳에는 박제된 동물들이 있었다 멸종한 동물의 뼈도 있었다 바깥에는 아직 살아 있는 동물들이 있었다 이런 곳엔 그만 있고 싶다고 말했다 야외로 나오자 살갗에 햇빛이 그대로 와 닿았고 다

시 체험관 구석 의자에 앉아 몸이 차가워지도록 쉬었다 일
기에는 울었다고 썼다

8.
부엌에는 해가 잘 안 들었는데
거실에는 잘 들었다

동생이 사과를 깎아 먹다 말고
껍질을 얼마나 길게 낼 수 있는지 보여주겠다고

접시 위로 둘둘 말린 껍질이 쌓여갔고

얼마나 얇게 깎았는지
잘하면 껍질이 투명하게 보일 것도 같았다

이제는 계절에 상관없이 과일을 먹을 수 있어

칼을 쓰면서 말하는 동생이 걱정되어 그만해
그만하라고 말렸다

위기를 탈출하는 법에 대해 알려주는
그런 프로그램이 있었는데
그건 예전에 종영해버렸고

껍질은
자꾸
쌓여만 갔다

그만둘 수 없다는 건 알고 있었다
다도만이 반짝일 때까지

9.
나이프를 가져가 테이블에 가지런히 놓았다

은촛대 아래에서 사람들은 환히 대화했다
그들 사이를 지나다니며 목을 그어도

모를 만큼
기억하세요? 여러분아
부끄러운 줄 알아야 한다고 다그쳤던

시간들에 대하여
나 아무 말도 못했네 오늘도
내 말을 끝까지 들어줄 사람이 없어

누군가 나를 미쳤다고 할 때
손가락을 들어 그를 가리키면

그 끝에는 내가 서 있었다
내 손에 들려 있는 머리

해변에 죽은 채 누워 있는 동물의 눈빛을 알지
모를지

10.

주저 없이 사사로울지라도 무엇을 기다리며 일기를 쓸
까 가장 많이 쓴 건 최선이라는 단어 내가 유일하게 믿는
독해, 죽기보다 싫은 게 죽기라면 믿겠어요?

11.

도끼를 휘둘러 나무들을 베었다. 베고, 베고, 벤다. 눈을
감으면 생기는 햇빛의 그을림. 한 그루 나무가 쓰러진다.
징그러움. 싱그러움. 그 너머 친구들이 목을 맨 나무가 그
늘이 웅성거리는 나무가 있다. 노끈이 아니라 줄넘기가 아
니라. 두루마리 휴지였더라면. 부드러운 것이 목을 감쌌더
라면. 밑동만이 남게 될 때까지 도끼를 휘두른다. 침묵 속

에서. 빛나는 뼛속에서. 그런 씩씩함만을 남겨. 다녀갔다고 말하고 싶을 때는 나의 신발을 신고 돌아가렴. 도끼를 휘두를수록 선연해지는 날끝. 도끼를 고쳐 잡는다. 놓치고 싶고 놓치고 싶지 않은 순간. 도끼는 가벼워진다.

12.
너 그렇게 예민해서 어떻게 살아?
내가 나한테 밥 먹이고 잠재우고
그렇게 산다. 하니까
부모도 모르는 괘씸한 년이라는 말을

못 들은 셈 치고 싶어도 안 되는 것을
처박아둔 만큼 지독해진 건 어쩔 수 없어

깃발을 들고 도시 여기저기를 걸어도 봤다
죽이지 말아달라고

외쳤다 그럴 때면 유통기한 지난 음식 쳐다보듯 훑는
눈들이 꼭
　나더러 진정하지 않다고 그랬다

　울면 재수가 없다는 말을
　어금니로 짓누르는 기분을

　빵 끈을
　아끼면 정말로 나는 뭐로 자랄까

13.
내 몸과 같이 사랑할 이웃에
나는 없었고 여전히 없지만

그다음 그다음의 다음까지 먼저 빌고 싶어지면

빈 기쁨들에 대해 적는다
그 순간을 믿는다

서울에서 산다는 것에 대해 생각해. 아니. 서울에서 살아간다는 것에 대해 생각해. 아니. 서울에서 죽지 않는다는 것에 대해 생각해. 아니. 서울에서 여자로 산다는 것에 대해 생각해. 아니. 서울에서 여자로 살아간다는 것에 대해 생각해. 아니. 서울에서 여자로 죽지 않는다는 것에 대해 생각해. 서울에서 나고 자라 죽음까지 바라는 건 어딘가 무섭지 않냐면서.

14.
안미츠 씨는 자신의 소중한 사람들이
모두 무사히 늙기를 바란다고 말한다

실내는 교토와 닮아 있다

우리는 어째서 교토를 닮은 곳을 찾아
교토에 와 있는 사람이 되는 걸까요

재난 알림 메시지가 울린다
미세 먼지가 심하니
외출을 자제하라는 내용이다

주문해 둔 메뉴가 나오면
여행 온 사람의 마음이란 그런 것이라고
그런 게 무엇인지는

안미츠 씨만이 안다 오직
볕 잘 드는 테이블만이
그림자만이 기울어지는 순간

소중하고 귀한
나의 친구

우리는 또 살아가자
이 소름끼치도록 이상한 세상을 정면으로 마주하자

사납게 또한 꼿꼿한 자세를 하고

아침달 시집 23

모든 나는 사랑받는다

1판 1쇄 펴냄 2022년 1월 31일
1판 5쇄 펴냄 2025년 2월 1일

지은이 박규현
큐레이터 김소연, 김언, 유계영
편집 송승언, 서윤후, 정채영, 이기리
디자인 한유미, 정유경

펴낸곳 아침달
펴낸이 손문경
출판등록 제2013-000289호
주소 04029 서울시 마포구 양화로7길 83, 5층
전화 02-3446-5238
팩스 02-3446-5208
전자우편 achimdalbooks@gmail.com

© 박규현, 2022
ISBN 979-11-89467-37-1 03810

값 12,000원